D0658041

LA CONGÉLATION FACILE
DES FRUITS ET DES LÉGUMES

LES ÉDITIONS QUEBECOR
une division de Groupe Quebecor inc.
7, chemin Bates
Bureau 100
Outremont (Québec)
H2V 1A6

Dépôt légal, 2e trimestre 1992

Bibliothèque nationale du Québec
Bibliothèque nationale du Canada
ISBN: 2-89089-915-2

Distribution: Québec-Livres

Éditeur: Jacques Simard
Conception de la page couverture: Bernard Langlois
Photo de la couverture: Christian Gaudet
Coordonnatrice à la production: Sylvie Archambault
Infographie: Les Ateliers C.M. inc.

Impression: Imprimerie l'Éclaireur

LA CONGÉLATION FACILE
DES FRUITS ET DES LÉGUMES

LISE PAQUETTE

LA CONGÉLATION

C'est la méthode de conservation qui préserve le mieux les qualités gustatives et nutritives des aliments frais. Mais il est indispensable de choisir très soigneusement les différent ingrédients et de prendre quelques précautions. Ainsi, il ne faut jamais mettre un produit chaud ou tiède dans un congélateur : il se couvrirait de cristaux de glace et élèverait la température des autres produits congelés. D'autre part, il faut faire refroidir les plats aussi rapidement que possible avant des congeler. Et... ne jamais recongeler un plat une fois que vous l'avez fait dégeler.

L'ASSAISONNEMENT

Ne forcez pas trop sur le sel et le poivre pendant la préparation des plats. Il vaut mieux rectifier l'assaisonnement au moment de servir. Les saveurs s'accentuent pendant le temps de conservation. Il est donc préférable de consommer les plats très épicés, ou fortement parfumés à l'ail, dans un délai d'un mois.

LES GARNITURES ET DÉCORATIONS

Nous vous conseillons de les ajouter au moment de servir et non avant la congélation, car elles risqueraient de s'abimer, soit au cours des diverses manipulations (emballage, rangement), soit pendant l'entreposage.

LA CONSERVATION

En règle générale, les plats se conservont 3 mois au congélateur sans subir de modification. Toutefois, ce temps se réduit à 1 mois pour les plats à base de poissons gras ou de viandes fumées, car les graisses finissent par rancir, même à des températures très basses.

LES CONTENANTS HERMÉTIQUES EN MATIÈRE PLASTIQUE RIGIDE

Elles conviennent pour la plupart des aliments. Les boîtes carrées ou rectangulaires prennent moins de place que les rondes. Vous pouvez récupérer les emballages en plastique de la margarine et de la crème glacées, à condition de les laver et de les sécher soigneusement.

LES CONTENANTS EN ALUMINIUM MUNIES DE COUVERCLES

Ils font à peu près le même usage. Mais il faut en tapisser l'intérieur avec du papier cellophane ou du papier ciré avant d'y ranger des plats contenant de l'ail de l'oignon ou des fruits confits, qui attaquent l'aluminium et provoquent une décoloration des aliments

LES SACS EN MATIÈRE PLASTIQUE

Ils sont très utiles pour emballer les aliments solides en vrac ou pour regrouper plusieurs plats congelés dans des emballages individuels. Choisissez toujours les sacs pour la congélation; ce sont des sacs solides et non perforés, que vous pourrez fermer à l'aide d'une attache armée, dont une certaine quantité est d'ailleurs vendue avec les sacs.

LE CELLOPHANE

Il protège très bien les aliments saupoudrés de sel ou arrosés de jus de citron. Sa souplesse facilite l'emballage des aliments aux formes irrégulières, et évite de perdre de la place dans le congélateur.

LE PAPIER D'ALUMINIUM

Il présente le même avantage et constitue un bon isolant pour les saveurs et les odeurs. Mais comme il se déchire facilement, il est recommandé de le doubler avec du cellophane ou des plastiques pour la congélation.

LES RÉCIPIENTS EN VERRE

Ils permettent de préparer, de congeler et de réchauffer les plats sans les transvaser. Enveloppez-les dans du cellophane ou de l'aluminium avant de les mettre dans le congélateur. Avant de réchauffer le plat, attendez qu'il soit è la température ambiante. En général, les récipients en métal ne peuvent être utilisés dans les fours à micro-ondes.

Enfin, n'oubliez pas que les produits ont tendance à augmenter de volume à la congélation ne remplissez pas à ras bord les emballages rigides.

LES ÉTIQUETTES

Elles sont très importantes, car la plupart des aliments deviennent méconnaissables une fois congelés. Utilisez des étiquettes autocollantes, de différentes couleurs. Ecrivez avec un stylo feutre indélébile. Et n'oubliez pas de noter la date de congélation à côté de la nature de l'alignement. Eventuellement, vous pouvez indiquer les ingrédients qu'il faudra ajouter au moment de servir.

LE RANGEMENT

Un congélateur bien rangé permet de reconnaître les aliments du premier coup d'oeil (grâce aux étiquettes et aux liens de couleurs) et de savoir toujours où vous en êtes de vos provisions.

Faire le compte dans un carnet des plats que vous entrez et sortez de votre congélateur est un moyen supplémentaire de connaître à tout instant vos inventaires. Cela vous permet de consommer vos préparations dans la limite de leur bonne conservation et vous laisse toute latitude pour décider d'un menu sans hésiter.

LA DÉCONGÉLATION

Elle est recommandée pour la plupart des plats, qui ne peuvent être réchauffés directement au sortir du congélateur. Elle peut se faire à température ambiante, dans un four à micro-ondes réglé sur la position décongélation (defrost) ou dans le réfrigérateur. Les pâtes et pâtisseries sont le plus souvent congelées crues, toute la cuisson s'effectuant au dernier moment. Si vous mettez une tarte congelée dans votre four pour la faire cuire, protégez-la avec du papier aluminium pour éviter que le dessus ne noircisse pendant que l'intérieur se réchauffe.

LES GRANDES RÈGLES À OBSERVER

Pour devenir un cordon-bleu de la congélation, il suffit d'attention, d'un peu de savoir-faire, en respectant quelques simples principes... que n'auraient pas désavoués les cordons-bleus d'antan...

Acheter à bon escient, profiter des meilleurs produits de la saison ou des ventes des magasins. Avec soin, apprêter les aliments, selon les quelques secrets de la cuisine à congeler; ne pas hésiter à tirer parti de son expérience. Emballer méticuleusement, congeler et entreposer dans les délais prescrits, Planifier intelligemment ses menus, pour décongeler à temps et dans les règles de l'art des petits plats savoureux.

1. Toute congélation doit être effectuée à une température inférieure ou, au plus, égale à –25 degrés.

En effet, seul le froid intense, allant de –25 à –30 degrés, ou descendant plus bas encore, conserve aux aliments leurs propriétés. L'eau contenue dans les aliments est ainsi rapidement congelée, au coeur même des cellules ou les fibres, sans risque de les endommager. Il ne faut donc jamais tenter de congeler les aliments à la tempéreture habituelle d'entreposage(-18 degrés) car, en ce cas, l'eau congèlerait en déchirant les fibres et provoquerait la détérioration des aliments.

2. Plus la congélation est rapide, mieux les aliments se conservent. Réglez donc votre congélateur sur la température minima (–25 à –30 degrés) au moins 5 h avant d'entreprendre la congélation. Évitez de congeler de trop grosses quantités à la fois.

3. Une fois congelés à coeur (en 24 h, généralement), les aliments doivent être entreposés à température continue, soit –25 degrés, soit –18

degrés et en tout cas jamais au-dessus de –18 degrés. Les variations de températures nuisent à une bonne conservation. Au-dessus de –18 degrés les processus de désintrégration alimentaire ne sont plus freinés avec autant d'effcacité.

4. Il ne faut jamais recongeler un aliment qui a été partiellement ou totalement décongelé. Les processus de développement des microbes reprennent de façon accélérée après la décongélation. Le froid détruit certains éléments qui ralentissent naturellement ces processus, alors que la plupart des éléments qui peuvent devenir nocif sont restés intacts. C'est également la raison pour laquelle il faut consommer ou cuire le jour même un aliment décongelé.

5. Les aliments à congeler doivent être de première fraîcheur et d'excellence qualité, car si une congélation soignée conserve intacts leurs qualités nutritives et leur bel aspect, elle ne les améliore pas pour autant.

6. Les aliments à congeler doivent être préparés, cuisinés, emballés et entreposés dans d'excellentes conditions d'hygiène, car les microbes congèlent en même temps que les aliments et reprennent leur activité avec encore plus d'ardeur, au réchauffement.

7. Plus le congélateur est plein, mieux il conserve le froid. En cas de panne, si une coupure de courant est annoncée à l'avance, comblez les vides avec des bacs à glace ou des contenants pleins d'eau. Si la panne dure moins de 6 h, n'ouvrez pas l'appareil, sa réserve de froid est suffisante pour garder les aliments intacts. Si la panne dure 6 à 10 h, n'ouvrez pas l'appareil, recouvrez-le de journaux et couvertures. Enfin si la panne dure au-delà de 12 h, résignez-vous à consommer tous les aliments aux prochains repas... et nettoyez votre appareil avant de le remettre en marche.

LES LÉGUMES

Choisis fraîchement cueillis, ils seront très savoureux après la congélation. Afin d'éviter l'oxydation, il faut les faire blanchir, après les avoir triés, épluchés, lavés et coupés.

Une fois blanchis, égouttez-les, laissez-les tiédir et emballez-les immédiatement. Préparez-les en portions de 500 g ou de 1 kg au maximun.

AIL

Congelez les têtes entières, sans séparer les gousses

Emballez les têtes entières dans du papier d'aluminium, puis mettez dans un sac à congélation.

Décongélation : retirez des têtes le nombre de gousses désiré. Décongelez 2 ou 3 mn à la température ambiante.

Conservation : 3 mois

ASPERGE

Faites blanchir 1 mn. (les très petites), 2 mn. (les petites), 3 mn. (les moyennes), 4 mn. (les grosses). Passez à l'eau très froide, égouttez et épongez avec du papier absorbant.

Mettez dans des contenants en plastique ou des sacs à congélation.

Décongélation : déballez et décongelez les plus petites dans une passoire ou sur un linge; les plus grosses à la température de la pièce jusqu'à ce qu'elles se séparent les unes des autres. Faites bouillir de 2 à 4 mn.

Conservation : 9 mois.

ASPERGE (POINTE D')

Lavez très délicatement, puis faites cuire à la vapeur 1 mn. Passez dans de l'eau glacée, égouttez et épongez.

Mettez dans des contenants en plastique.

Décongélation : faites cuire à la vapeur 1 mn., sans décongélation préalable.

Conservation : 6 mois

AVOCAT

On peut congeler les avocats, mais ils perdent en partie leur saveur et leur consistance originelles.

Retirez la pulpe, coupez en dés et arrosez aussitôt avec du jus de citron pour éviter qu'ils noircissent.

Mettez rapidement dans des contenants en plastique.

Décongélation : décongelez dans les contenants fermés 2 h à la température ambiante. Utilisez aussitôt pour éviter le noircissement.

Conservation : 3 mois

BETTRAVE

Lavez des petites bettraves. Faites bouillir 10 à 20 mn, jusqu'à ce qu'elles soient tendres. Égouttez et laissez refroidir. Pelez et laissez entières, ou coupez en rondelles ou en dés. Épongez.

Mettez dans des contenants de plastique.

Décongélation : décongelez dans les contenants, au réfrigérateur; ou déballés, à la température ambiante.

Conservation : 6 mois.

BROCOLI

Lavez dans de l'eau salée et rincez. Faites blanchir de 2 à 4 mn., selon leur grosseur. Egouttez, passez sous l'eau froide, égouttez à nouveau et épongez.

Mettez dans des sacs à congélation ou contenants en plastique.

Décongélation : faites bouillir encore gelés de 3 à 7mn., ou jusqu'à ce que les brocoli soient tendres : tout dépend de l'épaisseur des tiges.

Conservation : 12 mois

CAROTTE

Laissez entières les petites carottes nouvelles. Coupez le trognon et brossez bien sous l'eau. Faites blanchir 3 mn. Egouttez, passez sous l'eau froide, égouttez à nouveau et épongez.

Coupez le trongnon des grosses carottes. Pelez, coupez en rondelles ou en dés, râpez ou hachez. Faites blanchir 2 mn. Egouttez, passez sous l'eau froide, égouttez à nouveau et épongez.

Mettez dans des plats en plastique ou des sacs à congélation

Décongélation : faites bouillir 4 mn. les carottes nouvelles encore gelées. Ajoutez les carottes gelées en dés, râpées ou hachées à vos préparation (plats mijotés, soupes, etc.).

Conservation : 9 mois

CÉLERI

Retirez les feuilles et les branches abîmées, coupez les autres en tronçons. Faites blanchir 3 mn. Egouttez, passez sous l'eau très froide, égouttez à nouveau et épongez. N.B. Le céleri cru perd en gelant son côté croquand. En revanche, il est excellent une fois cuit.

Mettez dans des sacs à congélation ou des contenants en plastique.

Décongélation : faites bouillir encore gelé 10mn.; ou ajoutez encore gelé à vos préparations.

Conservation : 6 mois

CHAMPIGNON

Nettoyez sans peler. Séparez le pied de la tête

Congelez les champignons à découvert jusqu'à ce qu'ils soient durs, puis mettez dans des contenants de plastique ou des sacs à congélation(les pieds dans des sacs à part).

Décongélation : Faites cuire les champignons encore gelés dans du beurre; ou décongelez, dans l'emballage, au réfrigérateur. Utilisez comme champignons frais.

Conservation : 3 mois

CHOU (blanc, rouge, vert)

Ne choisissez que des choux jeunes et tendres et retirez soigneusement les feuilles abîmées et les grosses feuilles extérieures.

Nettoyez . Faites blanchir 1 mn. Égouttez, passez sous l'eau froide, égouttez à nouveau et épongez.

Mettez dans des sacs à congélation.

Décongélation : faites bouillir encore gelé de 5 à 8 mn. selon la quantité du chou.

Conservation : 6 mois

CHOU-FLEUR

Ne congelez que des choux bien serrés, très fermes, très blancs, avec des bouquets bien fermés ne manifestant aucune velléité de s'épanouir.

Séparez les bouquets, lavez et faites blanchir à l'eau citronnée 3 mn. Egouttez, passez sous l'eau froide, égouttez à nouveau et épongez.

Mettez dans des sacs à congélation.

Décongélation : faites bouillir 4 mn. sans décongélation préalable.

Conservation : 6 mois.

CONCOMBRE

Le concombre est trop riche en eau pour bien se congeler cru. Mais réduit en purée il peut se conserver au congélateur pour des soupes ou des sauces.

Épluchez, hachez et réduisez en purée

Versez dans des contenants en plastique

Décongélation : décongelez, dans l'emballage, à la tempéreture ambiante. Utilisez la purée dans vos préparation.

Conservation : 3 mois

ÉCHALOTE

Coupez racine et tige verte.Épluchez ou laissez entier.

Mettez par petites quantités dans des sacs à congélation ou dans des contenant en plastique, puis emballez le tout dans une feuille de papier d'aluminium.

Décongélation : décongelez, dans l'emballage, 30 mn. à la température ambiante. Utilisez dans des salades. Ou, sortez-les de leur emballage et mettez-les encore gelées dans votre préparation brûlante.

Conservation : 3 mois

ÉPINARD

Lavez abondamment. Faites blanchir 30 secondes s'ils sont jeunes, 2 mn. s'ils le sont moins. Égouttez, passez sous l'eau froide et pressez bien entre les mains.

Mettez dans des sacs à congélation.

Décongélation : décongelez les jeunes épinard, dans une passoire, 30 mn. à la température ambiante, puis faites revenir rapidement dans du beurre. Faites bouillir de 5 à 7 mn. les grosses feuilles encore gelées; ou faites revenir dans du beurre, à feu très doux.

Conservation : 12 mois

HARICOT

Équeutez, effilez et lavez. Laissez entiers ou coupez en tronçons de 2,5 cm. Faites blanchir les haricots entiers 3 mn., et les haricots en morceaux 2 mn. Égouttez, passez sous l'eau froide, égouttez à nouveau et épongez.

Mettez dans des sacs à congélation ou des contenants de plastique.

Décongélation : faites bouillir encore gelés de 5 à 7 mn., selon leur grosseur.

Conservation : 12 mois

HERBES AROMATIQUES

Séparez en brins, effeuillez les branches qui doivent l'être, hachez éventuellement les feuilles. Lavez et épongez à fond.

Mettez brins ou feuilles dans des contenants de plastique ou des sacs à congélation. Mettez les herbes hachées dans des cubes à glaçons. Congelez à découvert, puis démoulez les cubes et mettez dans des sacs à congélation.

Décongélation : émiettez les branches ou les brins encore gelés directement dans le plat en cours de cuisson. Ajoutez les cubes aux plats cuits, ou décongelez à la température de la pièce

Conservation : brins et feuilles 3 à 4 mois, cubes de 10 à 12 mois.

LAITUE

La laitue a une teneur en eau très élevée, la congélation lui retire son côté croquant qui fait son charme. Mais une fois cuite, elle se congèle fort bien et peut être utilisée en plat et, surtout en potage.

Lavez. faites blanchir 2 mn. Égouttez et rafraîchissez aussitôt, égouttez à nouveau et pressez bien pour en éliminer l'eau.

Mettez dans des sacs à congélation.

Décongélation : utilisez encore gelée dans de la soupe ou potage et en gratin

Conservation : 6 mois

MAÏS OU BLÉ D'INDE

Retirez les feuilles et les barbes des épis et groupez-les selon leur grosseur. Faites blanchir de 2 à 6 mn. les épis très frais, de 4 à 8 mn. les épis de quelques jours. Égouttez et laissez refroidir. Pour les grains seuls; égrenez les épis une fois blanchis.

Emballez les épis individuellement dans du papier d'aluminium ou du papier cellophane. Congelez, puis regroupez dans des sacs à congélation. Pour les grains emballez directement dans des sacs à congélation.

Décongélation : dans l'emballage, 2 h à la température ambiante, ou toute une nuit au réfrigérateur ou encore, 10 mn. au micro-ondes.

Conservation : 12 mois

NAVET

Coupez la base et la racine et pelez. Laissez entiers les plus petits et faites blanchir 1 mn. Coupez les plus gros en dés et faites blanchir 2 mn. Égouttez, passez sous l'eau froide, égouttez à nouveau et épongez. Ou faites bouillir jusqu'à ce qu'ils soient tendres, égouttez et réduisez en purée.

Mettez dans des sacs à congélation (entiers ou en dés). Versez la purée dans des contenants en plastique.

Décongélation : mettez au micro-ondes à «defrost» les navets entiers ou les dés encore gelés de 5 à 10 mn., selon leur grosseur; ou décongelez 2 h à la température de la pièce, puis faites sauter dans un mélange de beurre et de sucre jusqu'à ce qu'ils soient caramélisés.

Conservation : 12 mois

OIGNON

Épluchez les petits; laissez entiers. Faites blanchir 2 mn. Égouttez, passez sous l'eau froide, égouttez à nouveau et épongez. Épluchez les gros, hachez ou émincez. Faites blanchir 1 mn. Égouttez, passez sous l'eau froide, égouttez à nouveau et épongez; ou emballez crus.

Mettez dans des sacs à congélation, puis emballez dans du papier d'aluminium.

Décongélation : ajoutez les oignons hachés ou entiers à vos préparations, sans décongélation préalable. Décongelez les oignons crus, dans l'emballage, au réfrigéreteur. Utilisez dans des salades.

Conservation : 4 mois

PETITS POIS

Cueillez-les le matin de bonne heure, «à la fraîche», et choisissez les plus frais, avec des grains bien formés. Pratiquez immédiatement la congélation.

Écossez. Faites blanchir 1 mn. Égouttez, passez sous l'eau très froide et épongez.

Faites congeler tels quels, à découvert, jusqu'à ce qu'ils soient durs, puis mettez dans des sacs à congélation.

Décongélation; faites bouillir doucement 4 mn. sans décongélation préalable.

Conservation : 12 mois

POIS MANGE-TOUT

Pour ménager le goût fin des pois mange-tout, congelez-les aussitôt après la cueillette.

Équeutez. Faites blanchir de 30 à 60 secondes. Égouttez, passez sous l'eau froide, égouttez à nouveau et épongez.

Mettez dans des sacs à congélation.

Décongélation : faites bouillir encore gelés de 5 à 7 mn. selon leur grosseur.

Conservation : 12 mois.

POIREAU

Retirez les racines et le haut vert des feuilles (que vous pouvez utiliser pour des soupes). Lavez soigneusement. Laissez entiers les petits, coupez les gros en tronçons. Faites blanchir 3 mn. Égouttez, passez sous l'eau froide, égouttez à nouveau et épongez.

Mettez dans des sacs à congélation.

Décongélation : faites bouillir de 6 à 8 mn. sans décongélation préalable.

Conservation : 6 mois.

POIVRONS

Lavez, retirez le pédoncule. Coupez en deux, retirez les graines et les parties blanches. Laissez les moitiés telles quelles ou coupez en lanières. Faites éventuellement blanchir 2 mn.(les lanières), 3 mn. (les moitiés). Egouttez, passez sous l'eau froide, égouttez à nouveau et épongez.

Congelez les poivrons tels quels, qu'ils soient crus ou blanchis, jusqu'à ce qu'ils aient durci, puis mettez dans des sacs à congélation.

Décongélation : décongelez, dans l'emballage, de 1 à 2 h à la température ambiante.

Conservation : 12 mois

POMME DE TERRE FRITES

Utilisez de vieilles pommes de terre et choisissez des variétés le moins farineuses possible.

Faites frire en pleine friture de 2 à 3 mn. puis égouttez et laissez refroidir.

Mettez dans des sacs à congélation.

Décongélation : déballez et décongelez à la tempéreture de la pièce ou au micro-ondes 3 mn. Épongez et faites frire de 3 à 4 mn. en pleine friture ou chauffez au micro-ondes 3 mn.

Conservation : 6 mois

TOMATE FRUIT

Éliminez les fruits trop gros, ou bien coupez-les en deux en essayant de perdre le moins de jus possible. Ne choisissez que des tomates bien mûres et sans aucun défaut.

Retirez le pédoncule, ne pelez pas, essuyez simplement.

Mettez par petites quantités dans des sacs à congélation ou dans des contenants de plastique.

Décongélation : décongelez, dans l'emballage, 2 h à la température ambiante. Faites cuire ensuite.

Conservation : 12 mois

TOMATE JUS

Ne choisissez que des tomates bien mûres et sans aucun défaut.

Essuyez-les et retirez le pédoncule, ne les pelez pas. Coupez en quartiers. Faites cuire, puis passez au tamis, assaisonnez et laissez refroidir.

Versez dans des contenants de plastique ou de verre tout en laissant un espace vide de 20 % à la tête. Assaisonnez légèrement de sel et de poivre.

Décongélation : décongelez, dans le récipient, au réfrigérateur.

Conservation : 12 mois.

FRUITS

Choisissez-les d'excellente qualité, fraîchement cueillis, bien mûrs. Vous pourrez les congeler sous différentes formes; coupés, au jus, au sirop, en compotes.

Pour les bleuets, les framboises, les fraises, les groseilles et les mûres : triez-les soigneusement, puis étalez-les sur un plateau recouvert d'une feuille d'aluminium, de façon que chaque fruit soit bien séparé. Mettez ainsi à congeler à découvert, puis quand ils sont durs emballez-les dans des sacs à congélation ou dans des contenants de plastique.

Pour les abricots, les cerises, les prunes et les pêches : enlevez les noyaux et enlevez la peau des pêches. Vous pouvez les congeler tels quels après les avoir mis dans des contenants, saupoudrés d'un peu de sucre. Ils seront encore meilleurs après avoir été plongés rapidement dans l'eau bouillante (procédez par petites quantités et retirez aussitôt), placés dans des contenants et recouverts de sirop de sucre additionné de quelques gouttes de jus de citron.

Pour les poires : elles doivent être fermes et juteuses à la fois. Epluchez-les et coupez-les en quartiers, enlevez coeur et pépins puis mettez-les dans des contenants recouvertes de sirop de sucre additionné de quelques gouttes de jus de citrons.

Pour les pommes : pelez-les, coupez-les en quartiers, enlevez coeur et pépins puis coupez-les en tranches. Rangez les tranches dans des contenants en poudrant chaque couche d'un peu de sucre et en l'arrosant d'un peu de jus de citron. Isolez chaque couche de la suivante avec une feuille d'aluminium ou de cellophane.

Pour les rhubarbe : lavez-les, épluchez-les, coupez-les en tronçons de 2 cm, étalez ceux-ci sur un plateau recouvert d'une feuille d'aluminium, bien séparés, poudrez de sucre, congelèz puis regrourez dans des sacs à congélation.

Pour les melons et les pastèques : pelez-les, coupez-les en tranches, enlevez fibres et pépins, poudrez de sucre, puis emballez séparément dans des feuilles d'aluminium, congelez puis regroupez dans des sacs à congélation

ABRICOT

Pelez les abricots très mûrs en les frottant sous l'eau froide, coupez en deux et retirez le noyau. Plongez les moins mûrs 15 sec. dans l'eau bouillante, retirez la peau, coupez en deux et retirez le noyau. Séparez ou non les deux moitiés, ajoutez quelques gouttes de citron(1/2 c. à café par 500 g, de fruits) et mélangez.

Versez aussitôt dans un sirop moyen (2 tasses d'eau,1 tasse de sucre).

Décongélation : mettez le récipient 3 h au réfrigérateur

Conservation : 12 mois

ANANAS

Pelez et retirez les marques noires.Coupez en morceaux verticaux ou en tranches rondes. Retirez le centre.

Versez dans des récipients rigides, soit sans sucre en séparant les tranches par du papier cellophane, soit avec du sucre, ou encore dans un sirop léger (3 tasses de sucre, 1 tasse d'eau).

Décongélation : mettez le révipient 3 h à la température de la pièce.

Conservationn : 12 mois

BANANE

La banane perd sa consistance si on la congèle entière, avec sa peau.

Pelez, arrosez de jus de citron, roulez dans du sucre.

Mettez aussitôt des récipients de verre ou des contenants de plastique.

Décongélation : Mettez le récipient ou le contenant au réfrigérateur. Utilisez dès que le fruit est décongelé.

Conservation : 6 mois.

BLEUETS

Sélectionnez des fruits mûrs, mais qui ne s'écrasent pas. Lavez à l'eau froide, égouttez et épongez.

Congelez à découvert. Mettez dans de petits sacs à congélation. Ou placez dans de petits récipients rigides, sans sucre, ou dans un sirop épais (2 tasses d'eau, 1 tasse de sucre).

Décongélation : mettez sac ou récipient 2 h 30 à la température ambiante. Utilisez-les ensuite comme fruits frais, en confitures ou en dessert.

Conservation : 12 mois.

CERISE

Les cerises rouges ou celles que l'on dit noires en raison de leur couleur foncée sont celles qui se prêtent le mieux à la congélation, précisément parce qu'elles ne se décolorent pas.

Lavez, équeutez et dénoyautez, ou laissez entières.

Versez dans des récipients de verre ou des contenants de plastique avec un sirop moyen (2 tasses d'eau, 1 tasse de sucre), ou congelez les cerises telles quelles.

Décongélation : Mettez le récipient ou le contenant 3 h à la tempéreture ambiante. Utilisez aussitôt.

Conservation : 12 mois.

CITRON

Laissez entiers les fruits, pelez-les, détachez la pulpe en retirant les membranes.

Enveloppez-les individuellement dans un morceau de papier d'aluminium ou de cellophane. Congelez à découvert, puis mettez-les dans des sacs à congélation ou dans des récipients rigides, avec ou sans sucre.

Décongélation : mettez le récipient ou le sac 2 h à la température de la pièce.

Conservation : 12 mois.

CLÉMENTINES

Laissez les fruits entiers, pelez-les,détachez la pulpe en retirant les membranes.

Enveloppez-les individuellement dans un morceaux de papier d'aluminium ou de cellophane. Congelez à découvert, puis mettez-les dans des sacs à congélation ou des récipients rigides, avec ou sans sucre

Décongélation : mettez le récipient ou le sac 1 h 30 à la température ambiante.

Conservation : 12 mois.

FRAISE

Celles qui se congèle le mieux sont les petites fraises mûres et fermes, en particulier les fraises dites «sauvages des champs»

Ne lavez que si cela est indispensable. Laissez entières les petites ou coupez en deux les grosses.

Congelez à découvert (placez les fruits individuellement sur une plaque de métal), puis, lorsqu'ils sont durs, mettez-les dans des sacs à congélation ou des récipients rigides.

Décongélation : laissez sac ou récipient 1 h 30 à la température de la pièce.

Conservation : 12 mois.

FRAMBOISE

Les framboises doivent se détacher sans aucune peine de leur pédoncule pour être mûres.

Ne lavez que si cela est indispensable. Laissez-les entières ou réduisez en purée, si elles sont trop mûres, en les faisant cuire rapidement avec du sucre.

Congelez à découvert (placez les fruits individuellement sur une plaque de métal), puis lorsqu'ils sont durs, mettez-les dans des sacs à congélation ou des récipients rigides.

Décongélation : laissez sac ou récipient 2 h à la température ambiante. Servez les fruits à peine décongelés.

Conservation : 12 mois.

KIWI

Les kiwis sont très riches en eau, et leur goût est particulièrement fin; deux raisons pour qu'ils ne se congèle pas très bien. Néanmois, vous pouvez en congeler un reste, plutôt que de le perdre.

Pelez et laissez-les entiers.

Mettez-les tels quels dans des récipients de verre ou des contenants de plastique ou encore des sacs à congélation.

Décongélation : utilisez légèrement décongelé.

Conservation : 6 mois.

MELON

Les melons les plus fermes se congèlent très bien, malgré la grande quantité d'eau qu'ils contiennent. Par contre, ils ne sont pas aussi fermes, une fois décongelés, que les melons frais.

Coupez-les en deux, retirez les graines et égouttez. Coupez le pulpe en dés ou en tranches.

Mettez aussitôt dans des récipients rigides avec un sirop léger(3 tasses d'eau, 1 tasse de sucre), ou du sucre en poudre.

Décongélation : mettez le récipient au réfrigérateur. Servez encore très frais, avec du jus de citron pour empêcher le melon de changer de couleur.

Conservation : 12 mois.

MÛRE

Mise en garde : le jus de ces fruits tache beaucoup.

Ne lavez que si cela est indispensable.

Congelez à découvert (placez les fruits sur une plaque de métal), puis lorsqu'ils sont durs, mettez-les dans des sacs à congélation.

Décongélation : mettez le sac de 2 h à 2 h 30 à la température de la pièce. Ou utilisez, sans décongélation préalable, pour compotes, confitures, gâteaux, pudding.

Conservation : 12 mois.

ORANGE

Laissez entiers les fruits, pelez-les, détachez la pulpe en retirant membranes et pépins.

Enveloppez chaque fruit entier dans un morceau de papier d'aluminium ou de cellophane. Congelez à découvert, puis mettez dans des sacs à congélation ou des petits récipients rigides, avec ou sans sucre.

Décongélation : mettez le récipient ou le sac à la température ambiante. Excellent pour les crêpes suzettes et les sorbets à l'orange.

Conservation : 12 mois.

PAMPLEMOUSSE

Pelez, détachez la pulpe en retirant membranes et pépins.

Congelez à découvert les quartiers de fruits, puis mettez dans des sacs à congélation ou des contenants de plastique avec ou sans sucre. Ou mettez les quartiers dans des récipients contenant du sirop léger (3 tasses d'eau, 1 tasse de sucre).

Décongélation : Mettez le récipient 2 h à la température ambiante. Utilisez pour des cocktails, des salades de fruits, des desserts, ou pour le petit déjeuner.

Conservation : 12 mois.

PÊCHE

Le secret d'une bonne congélation réside dans la rapidité du travail de préparation; ces fruits en effet brunissent très vite.

Pelez les pêches très mures en les frottant sous l'eau froide, coupez-les en deux et retirez le noyau. Plongez les moins mures 15 secondes dans l'eau bouillante, retirez la peau, coupez-les en deux et retirez le noyau. Séparez ou non les deux moitiés, ajoutez quelques gouttes de citrons (1/2 c. à café pour 500 g. de fruits) et mélangez.

Versez aussitôt dans un sirop moyen (2 tasses d'eau,1 tasse de sucre).

Décongélation : mettez le récipient 3 h au réfrigérateur.

Conservation : 12 mois.

POIRE

Les poires perdent à la congélation un peu de leur parfum et de leur goût.

Pelez, coupez-les en deux, retirez coeur et pépins, ajoutez quelques gouttes de citrons (1/2 c. à café pour 500 g, de fruits).

Mettez aussitôt les demi-fruits dans des récipients de verre ou des contenants de plastique, avec un sirop épais (1 tasse d'eau, 1 tasse de sucre).

Décongélation : mettez le récipient ou contenant 3 h au réfrigérateur

Conservation : 12 mois.

POMME

Il est toujours intéressant de pouvoir disposer à tout moment de pommes déjà préparées, en tranches, en rondelles ou en conpotes.

Pelez, retirez coeur et pépins,- coupez en tranches ou en rondelles et plongez à mesure dans de l'eau addionnée de jus de citron.

Égouttez et mettez aussitôt dans des récipients de verre ou des contenants de plastique, avec un sirop moyen (2 tasses d'eau, 1 tasse de sucre).

Décongélation : mettez le récipient ou le contenant 1 h à la température de la pièce.

Conservation : 12 mois.

PRUNE

Lavez-les à l'eau glacée, essuyez-les, ne les pelez pas. Coupez-les en deux et dénoyautez-les.

Mettez les prunes crues dans des récipients de verre ou des contenants de plastique, avec un sirop moyen (2 tasses d'eau, 1 tasse de sucre).

Décongélation : mettez le récipient ou le contenant 2 h à la température ambiante. Utilisez aussitôt.

Conservation : 12 mois.

RAISIN

Lavez en grappes le raisin «sans pépins»

Congelez les grappes à découvert (placez les fruits sur une plaque de métal), puis lorsqu'ils sont durs, mettez-les dans des sacs à congélation ou dans des contenants rigides.

Décongélation : mettez le sacs ou le récipient 2 h à la température de la pièce. Utilisez en salades de fruits ou pour les gélées au raisin.

Conservation : 12 mois.

RHUBARBE

Ne congelez que les branches jeunes et fraîches, sans fils autant que possible. La meilleure période pour la récolte c'est le printemps.

Effilez, lavez et épongez-les. Coupez-les en tronçons de 4 cm environ. Faites-les blanchir 1 mn. Égouttez et laissez-les refroidir dans de l'eau glacée. Séchez.

Mettez la rhubarbe dans des récipients de verre ou des contenants de plastique, avec un sirop épais (1 tasse d'eau, 1 tasse de sucre).

Décongélation : mettez le récipient ou le contenant 3 h à la température de la pièce.

Conservation : 12 mois.

POISSONS

Ne congelez ces produits que le jour même de leur capture. La qualité du poisson est essentielle pour que la congélation se passe dans de bonnes conditions.

Écaillez et videz les poissons, coupez tête et nageoires. Découpez les gros poissons en tranches ou en filets que vous emballez séparément dans des feuilles d'aluminium scellés avec du ruban adhésif avant de les congeler puis de les regrouper par 2, 4 ou 6 dans des sacs de plastique hermétique.

Décongélation : mettez le poisson au réfrigérateur sans le déballer, et laissez-le ainsi pendant 8 h.

Conservation : 4 mois.

COQUILLAGE DE LA MER

Ouvrez les coquillages, rincez-les à l'eau claire et fraîche puis mettez-les dans des contenants profonds en aluminium remplies, jusqu'à 3 cm du bord, d'eau salée(1 c, à café de sel par litre d'eau), couvrez, scellez au ruban adhésif, congelez.

Décongélation : placez le contenant au réfrigérateur pendant 2 h. Utilisez-les comme vous le feriez pour des aliments frais.

Conservation : 3 mois.

CRUSTACÉS

Parmi les crustacés, seules les crevettes, cuites ou crues, supportent bien la congélation; mettez-les à congeler dans des contenants d'eau salée. Les autres crustacés, homard, langouste, crabes, etc supporte mal la congélation domestique.

Décongélation : placez le contenant au réfrigérateur pendant 2 heures

Utilisez-les comme vous le feriez pour des aliments frais.

Conservation : 3 mois.

OEUF

La coquille des oeufs éclate à la congélation. Il faut donc les casser et les mélanger, sans les battre, afin de ne pas introduire d'air, blanc et jaune en salant ou sucrant légèrement selon l'utilisation prévue, puis les mettre en gobelets. Il peut être utile aussi de congeler des blancs à part des jaunes.

Contrairement à ce que beaucoup de gens pensent, les oeufs se congèlent très bien.

Décongélation : laissez décongeler pendant 1 h à la température ambiante. Utilisez aussitôt.

Conservation : 6 mois.

BEURRE

Le beurre salé, comme le beurre doux, se congèle bien, dans son emballage d'origine, à condition d'être très frais quand on le met au congélateur.

Décongélation : laissez 4 h au réfrigérateur, ou 2 h à la tempéreture de la pièce si vous avez un besoin urgent de ce beurre. Le beurre décongelé ne se conserve pas aussi longtemps que le beurre frais.

Conservation : beurre salée 4 mois, beurre doux 6 mois.

FROMAGE À PÂTE DURE

Ils se congèlent bien, malgré une tendance à l'émiettement après un certain temps au congélateur, ils peuvent quand même être utilisés en cuisine.

Placez le fromage dans des sacs à congeler pour l'empêcher de se dessécher ou de communiquer son odeur aux autres aliments.

Décongélation : laissez le fromage pendant une nuit au réfrigérateur. Une fois décongelé le fromage rassit plus vite qu'un fromage frais.

Conservation : 6 mois.

FROMAGE À PÂTE MOLLE

On peut le congeler à condition qu'ils soit arrivé à pleine maturité.

Placez le fromage dans un sac à congeler pour éviter les odeurs.

Décongélation : laissez-le se décongeler complètement avant de le servir, faute de quoi il ne retrouve pas sa saveur original. Pour obtenir un bon résultat, laissez-le 24 h au réfrigérateur, puis encore 24 h à la température de la pièce.

Conservation : 6 mois.

FROMAGE RÂPÉ

Il est très pratique d'en avoir au congélateur, car conservé frais, même au réfrigérateur, il moisit vite.

Versez-le dans des sacs à congeler. Il ne s'agglomère pas en se congelant, on peut prendre dans un sac juste la quantité requise.

Décongélation : utilisez sans décongeler pour préparation chaude ou laissez décongeler 8 h au réfrigérateur.

Conservation : 6 mois.

VIANDE CUITE

Plus la viande est grasse, moins elle se conserve longtemps, car la graisse animale rancit rapidement. Congelez donc de préférence des viandes maigres et dégraissées au maximum.

La viande cuite et beaucoup de préparations à base de viande cuite se congèlent bien,

Toute préparation à base de viande cuite doit être manipulée avec maximun de soins de propreté; elle forme, un excellent terrain de culture pour les germes.

La viande doit être congelée le plus tôt possible après sa cuisson,en fait dès qu'elle est refroidie.

Un très bon emballage étanche est indispensable pour protéger la viande du dessèchement provoqué par le froid.

Emballez les aliments sous des quantités réduites : 4 portions est un maximun. Vous y gagnerez de l'efficacité et du temps pour la congélation et pour la décongélation ou le réchauffement au micro-ondes.

Décongélation : il faut préférer le micro-ondes ou la mise au réfrigérateur à la décongélation.

Pour réchauffer : que vous fassiez, ou non, décongeler la viande avant de la réchauffer, il faut qu'elle soit brûlante jusqu'en son centre au moment où vous la servirez.

VIANDE CRUE

La viande crue se congèle bien. La viande doit être entreposée et conservée comme il convient.

Assurez-vous que tous les ustensiles que vous allez employer et le plan de travail sont rigoureusement propres.

Viandes hachés et morceaux coupés en petis cubes; faite de petites quantités correspondant à vos utilisations familiales habituelles. En emballant, chassez le maximun d'air ou, tassez dans des récipients rigides à fermetures hermétique.

Côtelettes et steaks; retirez tout déchet ou toute graisse superflue. Enveloppez-les dans du papier cellophane ou d'aluminium, puis dans des sacs à congélation

Gros morceaux; retirez toute la graisse superflue. Protéger chaque extrémité pointue pour empêcher que le sac ne soit percé.

Charcuterie, abats et viandes mélangées; ils doivent être d'une exceptionnelle fraîcheur. Emballez-les petite quantité par petite quantité dans des sacs à congélation et expulsez le plus possible d'air.

Farces; ne congelez jamais de viandes farcies. Congelez séparément la viande et la farce.

Décongélation : la viande congelée peut être cuite décongelée ou encore gelée. Laissez la viande dans son emballage de congélation, si possible au réfrigérateur. La décongélation sera plus lente, mais la viande sera meilleure parce qu'elle perdra moins son jus. Dans le cas de petites portions utilisez votre micro-ondes à «defrost». Après décongélation, laissez la viande au réfrigérateur et faites-la cuire aussi vite que possible.

ACHATS EN GROS

Ils concernent surtout la viande et la volaille, aliments à la fois rapides et pratique à congeler, et souvent déja congelés au magasin. Acheter en gros économise temps et argent, et le propriétaire d'un congélateur est bien placé pour acheter de cette façon. Le prix de la nourriture elle-même est moins élevé au moment des ventes des épiceries.

En achetant en gros, il faut se rappeler que la recherche de la qualité est ici essentielle. Attention aussi aux achats trop beaux pour être vrais!

Réfléchissez au type de viande que vous achetez d'habitude, puis faites vos achats en conséquence. Egalement, au moment d'acheter en grandes quantités dans le but de faire des économies, ayez aussi présent à l'esprit le temps de conservation d'un produit.

Lorsque l'on achète en gros, il est important de considérer la place dont on dispose pour la congélation. Utilisez rationnellement le congélateur pour conserver le genre d'aliments que vous avez l'habitude d'acheter et de consommer.

ACIDE ASCORBIQUE

Forme synthétique de la vitamine C et antioxydant, elle contribue à empêcher le noircissement des fruits qui contiennent peu de cette vitamine, comme la pomme, l'abricot, la pêche ou la poire. On l'ajoute habituellement à un sirop de sucre froid où l'on plonge les fruits juste avant de les congeler.On peut se procurer de l'acide ascorbique dans les pharmacies, en poudre ou en comprimés.

ACIDE CITRIQUE

C'est un antioxydant que l'on trouve dans le jus de citron, ou que l'on peut se procurer sous forme de poudre chez les pharmaciens. Elle contribue à empêcher le brunissement et la décoloration des fruits pauvres en vitamines C, comme la pêche, la pomme et la poire quand ils sont exposés à l'air avant d'être congelés. Ajoutez le jus d'un citron de taille moyenne à 3 tasses d'eau ou 1 c. à café d'acide citrique pour 500 g. de sucre.

AIR

L'élimination de l'air est essentielle si l'on veut que les aliments emballés se conserve au congélateur dans les meilleures conditions. La présence de l'air, en effet, les dessèche et amène une détérioration de la saveur comme de la couleur.

Il existe plusieurs façons de chasser l'air des emballages avant de les fermer hermétiquement pour la congélation.

1. Expulsez l'air en faisant glisser les deux mains du bas en haut des emballages souples de façon à repousser l'air vers le haut jusqu'à ce qu'il sorte.

2. Immergez les emballages souples dans un récipient d'eau : l'air est ainsi expulsé sous l'effet de la pression.

3. Plongez une lame de couteau à plusieurs reprises dans le contenu des récipients pour en libérer les bulles d'air emprisonnées.

4. Enfoncez une paille dans un emballage souple, refermez le haut du sac autour de cette paille, tenez fermement et faites sortir l'air en aspirant.

5. Utilisez une «pompe à vide» spécialement conçue pour vider l'air des sacs. On peut se la procurer relativement facilement chez les fournisseurs de produits pour la congélation.

ALCOOL

Ne congelez l'alcool que par très petites quantités, sa température de congélation étant inférieure à celle de l'eau. N'essayez pas de faire glacer de la bière, du vin, etc., en bouteilles de verre (ni autrement) en les plaçant dans le congélateur; au bout d'un moment, le liquide glacé se dilate et fait éclater la bouteille. On peut incorporer de l'alcool aux liquides entrant dans des plats cuisinés destinés à la congélation et, par exemples, à une crème glacée.

ASSAISONNEMENT

Lors de la préparation de plats à congeler, l'assaisonnement sous forme de sel et de poivre, d'herbes et d'épices doit être réduit au minimun. La congélation a tendance à renforcer la puissance des assaisonnement et si l'on n'y prend pas garde, ceux-ci risquent de rendre les plats immangeables. Utilisez, si possible, des herbes et des épices fraîches, car elles ont moins tendance à devenir fortes pendant l'opération de congélation que leurs équivalent séchés. Au moment de décongeler et de réchauffer le plat, vérifiez l'assaisonnement avant de le servir et rectifiez en conséquence.

BLANCHIMENT

Le blanchiment est une condition essentielle du succès de la congélation quand il s'agit de certains aliments, des légumes en particulier. Il s'agit de certains aliments, des légumes en particulier. Il s'agit tout simplement de plonger les légumes dans de l'eau bouillante pendant quelques instants, la durée dépendant de la nature du légume. Le blanchiment arrête l'action des enzymes qui, sans cela, continueraient à travailler, provoquant à la longue, pendant la congélation, une déperdition du goût, de la couleur ou de la valeur nutritive.

DÉCOLORATION

Exposer à l'air certains fruits pauvres en vitamine C, comme la pomme, la poire ou la pêche, entraîne une décoloration ou un noircissement. Le phénomène a toutes les chances de se reproduire au cours de la préparation et de l'emballage de quartiers et de compotes de fruits destinés à la congélation. Ajouter du sucre aide à empêcher ce changement de couleur; mais celui-ci est encore plus efficacement combattu par l'addition d'un antioxydant comme l'acide ascorbique, l'acide citrique ou le jus de citron.

DÉSHYDRATATION

La perte d'humidité ou de jus subie par les aliment congelés peut aller jusqu'à une sorte de brûlure par le froid. Sa cause : un emballage mal fait ou inadéquat à cause duquel l'aliment est exposé à l'air froid du congélateur. La viande et la volaille y sont particulièrement sensibles. Cette déshydratation est signalée par des taches d'un blanc grisâtre que l'on trouve à la surface des aliments. Ces taches ne sont pas dangereuses et peuvent être retirées avec un couteau une fois l'aliment décongelé.

JUS DE FRUITS

Les jus de fruits frais se conservent bien au congélateur, que vous y ajoutiez du sucre ou non. Pour congeler; filtrez le jus, quel qu'il soit, et versez-le dans des récipients rigides en laissant un espace libre entre la surface du jus et le couvercle. Ou bien, versez le jus dans des contenants à glaçons, placez des bâtons à la verticale, faites congeler sans couvrir; vous obtenez de très bons «pop sicle».

Vous pouvez naturellement mettre dans votre congélateur les jus de fruits concentrés acheté surgelés dans les magasins.

TABLES DES MATIÈRES